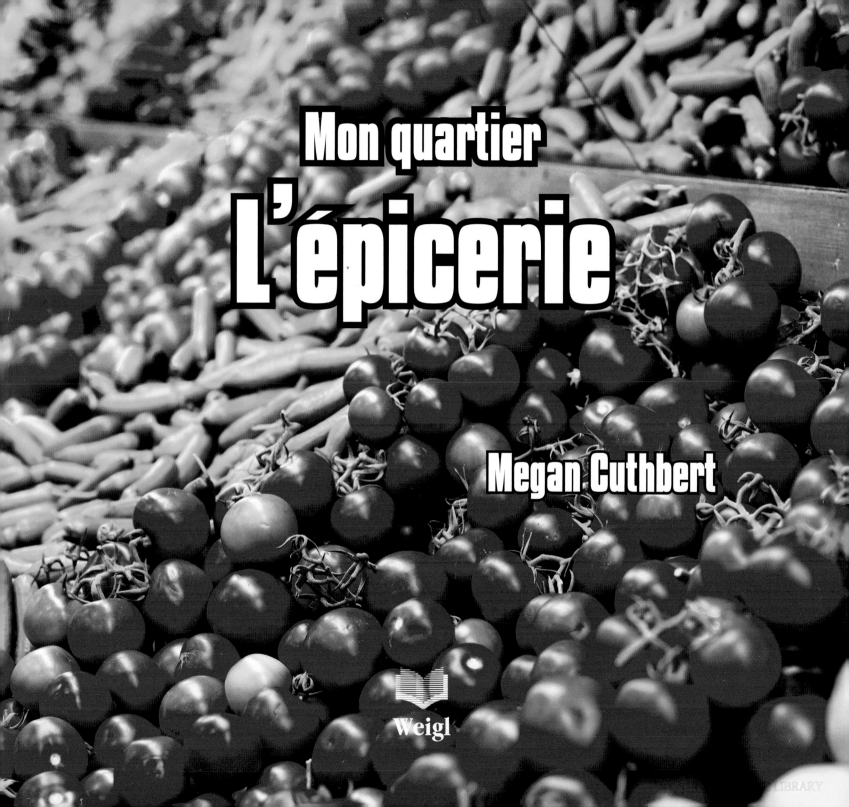

Mon quartier
L'épicerie

Megan Cuthbert

Weigl

Publié par Weigl Educational Publishers Limited
6325 10th Street SE
Calgary, Alberta T2H 2Z9
Site web : www.weigl.ca

Catalogage avant publication de Bibliothèque et Archives Canada

Carr, Aaron
[Grocery Store. Français]
     L'épicerie / Aaron Carr.

(Mon voisinage)
Traduction de : The grocery store.
Publié en formats imprimé(s) et électronique(s).
ISBN 978-1-4872-0076-3 (relié).--ISBN 978-1-4872-0077-0 (livre électronique multiutilisateur)

     1. Magasins--Ouvrages pour la jeunesse. I. Titre.
II. Titre: Grocery Store. Français.

HF5429.C3714 2014   j381'.1   C2014-901733-2
                                                C2014-901734-0

Imprimé à North Mankato, Minnesota, aux États-Unis d'Amérique
1 2 3 4 5 6 7 8 9 0 18 17 16 15 14

062014
WEP010714

Coordonnateur de projet : Jared Siemens
Conceptrice: Mandy Christiansen
Traduction : Translation Cloud LLC

Weigl reconnaît que les images Getty sont le principal fournisseur d'images pour ce titre.

Tous les efforts raisonnablement possibles ont été mis en œuvre pour déterminer la propriété du matériel protégé par les droits d'auteur et obtenir l'autorisation de le reproduire. N'hésitez pas à faire part à l'équipe de rédaction de toute erreur ou omission, ce qui permettra de corriger les futures éditions.

Dans notre travail d'édition nous recevons le soutien financier du gouvernement du Canada par l'entremise du Fonds du livre du Canada.

Mon quartier
L'épicerie

CONTENU

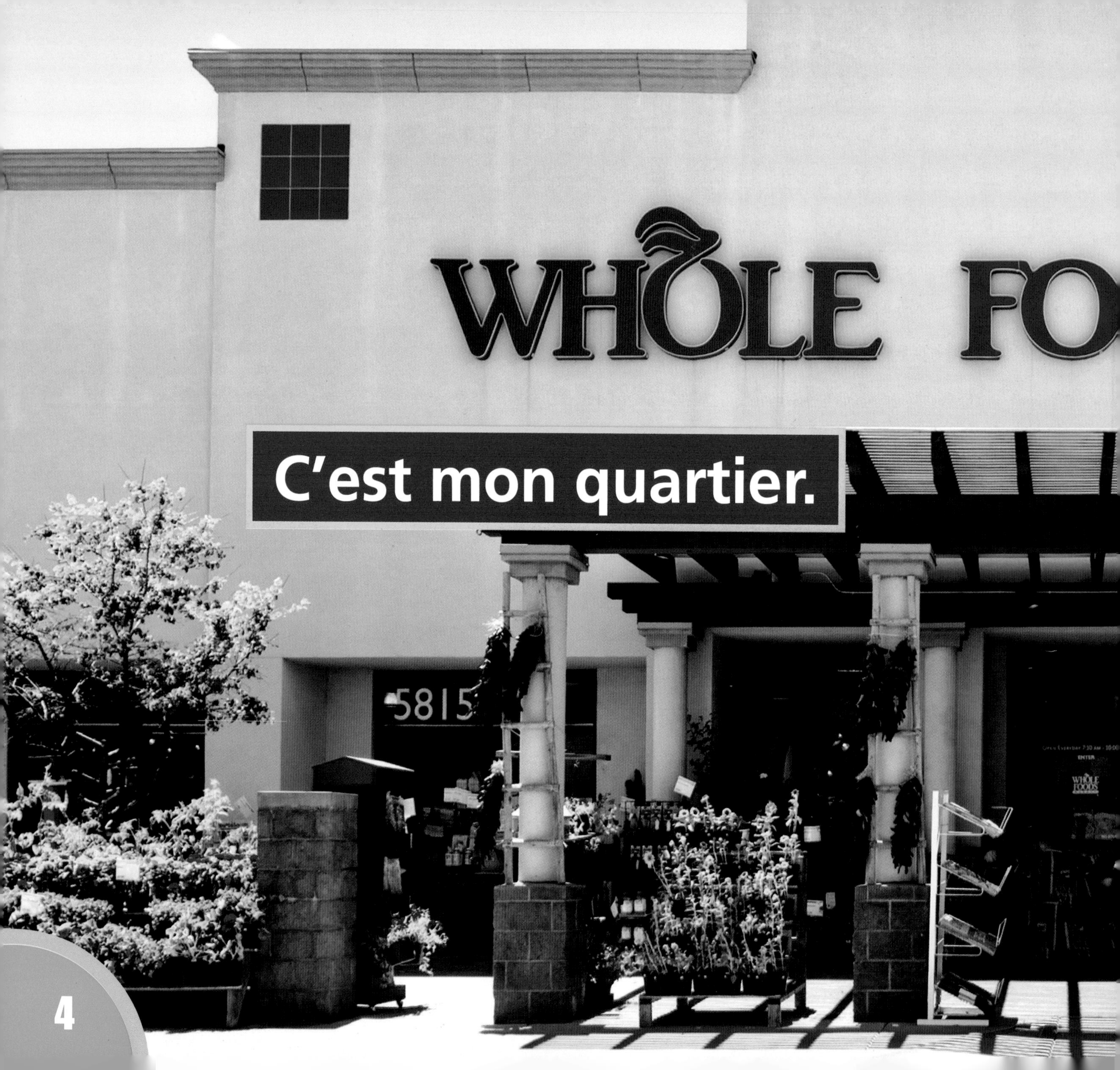

C’est mon quartier.

L'épicerie est dans mon quartier.

Une épicerie est un endroit où ma famille va acheter des aliments.

Nous faisons une liste des aliments que nous devons acheter.

L'épicerie a plusieurs allées avec des étagères.

La plupart des épiceries ont plus de 40 000 articles en vente.

Les aliments sont triés par groupe dans chaque allée.

Nous pouvons trouver des pommes avec les autres types de fruits.

Les étiquettes nous disent ce qu'il y a à l'intérieur d'une boîte de conserve.

Lire une étiquette peut nous aider à effectuer un choix bon pour la santé.

Certaines étiquettes ont une date d'apposée sur elles.

La date nous dit pendant combien de temps un aliment est bon pour la consommation.

Le prix de chaque aliment est imprimé sur l'étagère.

Nous lisons le prix donc nous savons ce que coûte chaque aliment.

Parfois, l'épicerie est très occupée.

Je pousse le chariot prudemment donc personne n'est blessée.

Le caissier nous dit combien nous devons payer.

20

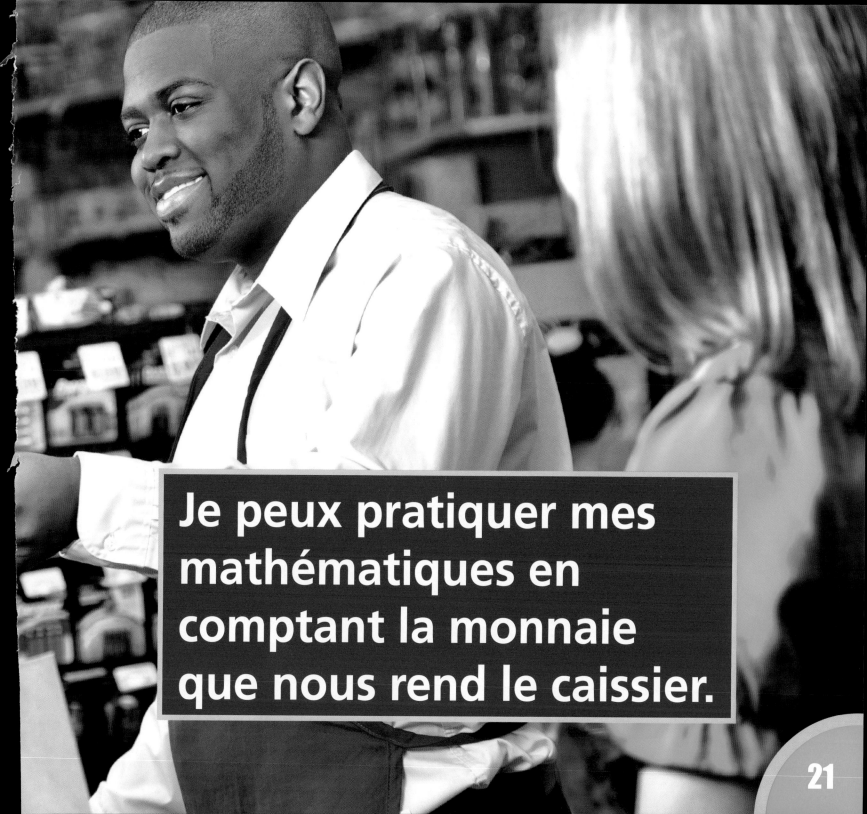

Je peux pratiquer mes mathématiques en comptant la monnaie que nous rend le caissier.

21

Voyez ce que vous avez appris sur les épiceries.

Laquelle de ces photos ne montre pas une épicerie?